Struwwelhitler

A Nazi Story Book
by Dr. Schrecklichkeit

Eine Parodie des Original-Struwwelpeter
von Robert und Philip Spence

Mit einem Vorwort von Joachim Fest

Autorenhaus

Dem Reprint liegt die Erstausgabe von 1941 zugrunde,
erschienen im Verlag The Daily Sketch and Sunday Graphic.

Aus dem Englischen übertragen von Dieter H. Stündel

ISBN 978-3-86671-014-6
Nachdruck 2009

Druck und Bindung: Westermann Druck Zwickau
Gedruckt auf alterungsbeständigem Werkdruckpapier
Printed in Germany

SCHÖNE, GRAUSAME UND BELEHRENDE SCHAUERGESCHICHTEN

Seit seinem Erscheinen ist der *Struwwelpeter* das erfolgreichste Kinderbuch der Geschichte. Das knappe Dutzend gereimter Moritaten, das der Frankfurter Nervenarzt Heinrich Hoffmann 1844 veröffentlichte, weil er für seinen dreijährigen Sohn kein passendes Weihnachtsgeschenk fand, war nach Tagen vergriffen. Schon wenige Jahre darauf kam die dreißigste Auflage heraus, und auch die Werbeankündigung des Frankfurter Verlegers Loening, daß das Buch „zu Nutz und Frommen sämmtlicher fünf Welttheile" gedacht sei, war nicht die Aufschneiderei, für die sie zunächst gehalten wurde. Alsbald erschien eine englische, dann eine holländische, dänische, russische sowie amerikanische Übertragung, und als in den zwanziger Jahren des vergangenen Jahrhunderts das Copyright auslief, zählte man die 540. Auflage.

Aber das war eine nur annäherungsweise zutreffende Zahl. Denn schon bald waren in Deutschland wie anderswo Umdichtungen des Buches erschienen, Parodien, politische Burlesken oder Schmähfabeln. Auch Verballhornungen oder in freier Anlehnung an den Urtext verfaßte Räuberpistolen kamen heraus, schon drei Jahre nach dem Original gab es einen *Thierstruwwelpeter*, kurz darauf die *Struwwelsuse* und dann, die Generationen hindurch, weitere Abwandlungen bis zum *Struwwel-Skinhead*. Wer immer eine Botschaft an die Leute bringen wollte, machte sich die Vorlage, die Hoffmann selber für eine „belanglose Kinderei" gehalten hat, als erfolgversprechendes Vehikel zu eigen.

Einiges spricht dafür, daß der Begriff des „Struwwelpeter" schon lange redensartlich war. Bereits achtzig Jahre vor Hoffmann wird der Leipziger Student und Kneipbruder Wolfgang Goethe aufgrund seines häufig verwahrlosten Auftretens so genannt. Aber der durchschlagende Erfolg des Buches hatte nicht zuletzt mit der gesellschaftlich durchgesetzten Macht des Bürgertums zu tun, das sich Lehren vom richtigen Leben gab und in Figuren wie dem bösen Friederich, Paulinchen, dem Suppenkaspar und natürlich dem

Struwwelpeter selber die anstößigen Gegenbilder ausstellte.
Unter den zahlreichen Abwandlungen, die das Buch erfuhr, stellten sich alsbald auch die „pädagogisch verbesserten" Fassungen ein: an die Stelle der „häßlichen Fratzen" traten darin die stets sorgfältig gekämmten, gerade sitzenden, nie mit dem Feuer spielenden oder „Ja, meine Suppe eß' ich gern" hersagenden Musterkinder. Fast jede neue Ausgabe spiegelte etwas vom herrschenden Zeitgeist. Es gab den naturbewußten, jugendbewegten sowie über zahlreiche Zwischenstufen hinweg den aus der Achtundsechziger-Bewegung herkommenden *Anti-Struwwelpeter*, der das Hoffmannsche Original für eine Ausgeburt des autoritären Ungeistes hielt, der in Deutschland seit je sein Unwesen treibe. Mitunter denkt man, es ließe sich anhand des *Struwwelpeter* eine Art Sozialgeschichte des Landes schreiben.
Eine besondere Rolle spielte, zumal in England, die Figur des deutsch-imperialistischen „Struwwelpeter", der bereits geraume Zeit vor dem Ersten Weltkrieg zum Horrorkabinett der britischen Propaganda gegen die Festlandsvettern gehörte. „Swollen-Headed-William", wie Wilhelm II. in der bekanntesten dieser Publikationen hieß, galt als die Verkörperung deutscher Machtgier und ihrer den internationalen Frieden gefährdenden Unruhestifterei. Zu seinen Kennmarken gehörten Kaiserhelm und Bierkrug, der preußische Adler sowie bluttriefende Hände, und in einer Version stolpert der Kaiser als „Wilhelm-Guck-in-die-Luft" über eine mächtige englische Dogge. Die deutsche Kriegspropaganda antwortete 1915 mit einem *Bombenpeter*.
An diese Tradition knüpfte 1941 der *Struwwelhitler* des „Doktor Schrecklichkeit" an. Der englische Text, der bereits vergleichsweise frei mit den Originalversen verfuhr, wird in der vorliegenden Ausgabe durch eine eigens beigefügte deutsche Nachdichtung noch einmal abgewandelt, um die historischen Vorgänge dem Leser verständlich zu machen.
Natürlich kommt der grausige Ausgang, mit dem jede der Hoffmannschen Geschichten endet, der Propagandaabsicht der Verfasser entgegen. Goebbels ist „Gobby" und Göring „the flying Hermann", Mussolini wird zum „Musso-Guck-in-die-Luft" und Paulinchen zu „Gretchen mit der Kanone". Hitler selber tritt als „Zappel-Adolf" auf, womit zugleich etwas von der Getriebenheit des

Mannes zum Ausdruck gebracht wird. An anderer Stelle sieht man ihn als gliederwerfenden Redner und einmal auch als rücksichtslosen Gewalthaber, der hier, in Anspielung auf den sogenannten Röhmputsch, statt des Getiers vom bösen Friedrich die Galgenvögel seiner frühen Kumpane zur Strecke bringt. Dann wiederum zerreißt er Verträge, befuchtelt „Frankreichs Mariann'" mit der Knute und zerstört überhaupt alles, was sich ihm in den Weg stellt. Unzufriedene Untertanen bedroht er mit dem Konzentrationslager und Paulinchens Geschichte beispielsweise endet mit den Worten: „And when the good cats sat beside / The smoking ashes, still they cried: ‚Meow! Meo! Meow! Meo! / And serve her right, we told her so.'" Zum Schluß erscheint „Nicolas"-Stalin auf der Szene und versenkt als „Bolshy" eine Nazi-Größe nach der anderen im Hammer-und-Sichel-geschmücktenTintenfaß.

Das Buch ist ein Versuch des Jahres 1941, als England dem übermächtigen, nahezu ganz Europa beherrschenden Reich allein gegenüberstand, Hitler und sein Regime der Lächerlichkeit preiszugeben. Zwar tötet diese Lächerlichkeit weit seltener, als man meint, doch schafft sie Selbstbewußtsein und hilft nicht nur, die Schrecken des Krieges auszuhalten, sondern auch, sich neue Zuversicht zu verschaffen. Englische Freunde mahnten mich, das kleine Pamphlet nicht mit allzu kritischen Augen zu lesen. Die Satire dürfe auch mal mogeln, meinten sie. Es handle sich beim *Struwwelhitler* um nichts anderes als ein etwas derbes Nebenprodukt des britischen Glaubens, daß sich durch einen Witz die verrücktesten Weltläufe sowie die Zumutungen des Lebens am besten bewältigen ließen.
Wie eine Anmerkung dazu hört sich eine meiner Erinnerungen aus frühen Jahren an: Wir hatten als Kinder, wie Generationen vor uns und danach, einen Heidenspaß am *Struwwelpeter* und kannten ganze Versfolgen auswendig. Einer unserer Lehrer bemerkte zu der schon damals gelegentlich aufkommenden Debatte, ob die schönen Schauergeschichten des Buches nicht doch allzu grausam und bösartig seien, man müsse, wie aus allem, das Richtige daraus lernen. Manchmal, fügte er hinzu, komme es vor, daß das Richtige eben das sei, was viele für das Falsche hielten. Das dürfe einen aber nicht irre machen.

Joachim Fest

Eine Parodie auf den Original Struwwelpeter
von Robert und Philip Spence

Von den Autoren für den *Daily Sketch*-Kriegs-Hilfsfonds gestiftet, der unseren Truppen Funkanlagen, Spiele und Wollsachen liefert sowie Bekleidung, Bettzeug, Stiefel und Nahrung für die Luftangriffsopfer.

A parody on the original Struwwelpeter
by Robert and Philip Spence

Presented by them to the *Daily Sketch* War Relief Fund, which supplies wireless sets, games and woollen comforts to our Fighting Services, and clothing, bedding, boots and food to air raid victims.

STRUWWELHITLER

EIN NAZI-GESCHICHTEN-BUCH

Wenn die Kinder stets sind gute,
anders, als man es vermute:
gut im Töten, gut im Lügen,
gut sich auch als Spitzel fügen;
ihre vierzehn Pas und Mas,
Großmamas und Großpapas,
und die Urgroßeltern alle
arisch sind in jedem Falle,
so daß lauter hübsche Dinge
Krupp von Bohlen ihnen bringe,
Segensgaben haben müssen,
bringen Stinnes, Flick und Thyssen,
weil den Sparstrumpf sie euch leeren,
müßt mit Gras und Span' euch nähren.
Deren Beifall nur ersuch'
dieses hübsche Bilderbuch.

STRUWWELHITLER
A NAZI STORY BOOK

When the children have been good,
That is, be it understood,
Good at killing, good at lying,
Good at on each other spying.
When their fourteen Pas, and Mas,
Grandmammas, and Grandpapas,
Great Grandparents too, are sure
That their Aryan stock is pure.
They shall have the pretty things
Krupp Von Bohlen kindly brings,
And the blessings, only listen!
Brought by Stinnes, Frick, and
Thyssen,
Who will welcome all your savings
While you feed on grass and
shavings.
Only such as these shall look
At this pretty picture book.

1. STRUWWELHITLER

Seht nur an, wie er da steht,
Haar' und Hände sind beredt.
Schaut! des Blutes Tropfen spritzen
von den schmutz'gen Fingerspitzen.
Und der Schmutzfink, wie ich mein',
kämmte nie das Haar sich fein!
Schwerer bricht die Krust' der Torte
als der Hitler seine Worte.

1. STRUWWELHITLER

2. DIE GESCHICHTE VOM GRAUSAMEN ADOLF

Grausam steht der Adolf da,
schrecklich wie der Bube war;
verfolgte seine Weltmachtziele
und mordete der Freunde viele.
Er tötete neutrale Vögel,
und steter Wortbruch war ihm Regel.
Zermalmte Pussy, zerriß jeden Pakt
und schrie, bis die Stimme ihm übergeschnappt.
Frankreichs Mariann' wurde mächtig geschlagen
und dann ging's den Nachbarn an den Kragen.

2. THE STORY OF CRUEL ADOLF

Als sich der brave Fritz beschwert,
weil ihn der Hunger ganz verzehrt,
schrie der Adolf: „Kriegst dein Fett,
kommst nach Dachau ins KZ."
In seinem Zorn mit viel Geschrei
ruft die Gestapo er herbei.
Und Fritz, der wurde rot vor Wut
und biß ihn so, es quoll das Blut.
Den Adolf hört man lauthals schrei'n.
es wäre gut, dabei zu sein.

When patient Fritz in abject mood
Complained that he was short of
food
"Be off!" cried Adolf, "Greedy
scamp!
To Dachau Concentration Camp."
He whipped poor Fritz till he was
dumb,
And bade the dread Gestapo come:
At this good Fritz grew very red,
And growled and bit him till he
bled;
Then you should only have been by
To see dear Adolf scream and cry!

Ins Bett zwang Adolf diese Not;
der Doktor mit dem Finger droht'
und sagt' ihm an den bald'gen Tod,
er gab ihm bitt're Medizin,
und wünschte, Adolf schied bald hin.

Hund Fritz erlebt Glückseligkeit,
zum Bellen hat er keine Zeit.
Er sitzt, wo Adolf früher saß
und isst, was dieser immer aß
den Durst löscht er mit Ribbys Sekt,
verschlingt auch Adolfs Creme-Konfekt.

So Adolf had to go to bed;
The doctor came and shook his head,
Remarked that he would soon be dead,
And gave him nasty physic too
Precisely with that end in view.

But good dog Fritz is happy now;
He has no time so say "Bow! Wow!"
He seats himself in Adolf's chair,
And laughs to see the nice things there:
On Ribby's fizz his thirst he slakes,
And eats all Adolf's creamy cakes.

3. DIE SCHRECKLICHE GESCHICHTE VON GRETCHEN UND DER KANONE

Es macht mich traurig, euch zu sagen,
was sich mit Gretchen zugetragen.
Der Freunde zweie rief man her,
daß Freundschaft ende nimmermehr.
Doch auf dem Tische nebenbei,
stand ein Kanönchen voll mit Blei,
und sie versprach den Freunden klug,
als Spielzeug sei es ihr genug,
mehr wollt' sie nicht, doch plötzlich schrie sie:
Erleben sollt ihr was wie nie,
Ich schieße jetzt, mir ist 'ne Last,
der Frieden in der Nachbarschaft!"

Die Miezekatzen dies vernahmen
und klagten: „Schlimmste aller Damen,
wir bitten dich,
oh, schieße nich';
es ist ganz falsch und sowieso,
Miau-Mio! Miau-Mio!
wirst du sonst brennen lichterloh."

Doch Gretchen wollte hören nicht,
Kanonendonner freut' sie schlicht!
Sie ließ es überall mal knallen,
ließ sie in Furcht und Schrecken fallen:
Sie sprach, ihr Püppchen wollt' das so,
sie tät es gern, es macht' sie froh!

Die Katzen sahen wüst es rauchen
und fingen an, ganz wild zu fauchen:
Wir fürchten, Schlimmes wird passieren
und die Kanone explodieren."
„Miau!" schrien sie, „Miau! Mio!
Du brennst dich noch zu Tode so."

3. THE DREADFUL STORY OF GRETCHEN AND THE GUN

It almost makes me cry to tell
What Gretchen (foolish girl) befell.
Her two boy friends had been to call
And lasting friendship vowed by all.
Now on the table close at hand
A little cannon chanced to stand,
And she had promised both the boys
She was contented with her toys,
And would not touch it. "Now" she cries,
"I'll give them both a great surprise
And shoot at someone: waste of labour!
To keep a gun and love your neighbour!"

The Pussy-cats heard this,
And said "Oh, naughty, naughty Miss,
We beg you not
To fire a shot;
It's very, very wrong you know,
Me-ow! Meo! Meow! Meo!
You will be burnt if you do so."

But Gretchen would not take advice
She fired the gun, it was so nice!
She banged it round and round about,
And frightened everybody out:
She said her Dolly liked it so
And she *would* do it; yes! or no!

The Pussy-cats saw this
And they began to hiss: –
"We fear the worst
That gun will burst."
"Meow!" they said, "Meow! Meo!
You'll burn to death if you do so."

Hört! Krachend los geht die Kanone,
erst brennt der Zopf, die Haareskrone,
es brennen Arme und ihr Kleid,
das Püppchen Adolf, wie es schreit!

So brannte sie im Flammenmeer,
die Arme, Hände und viel mehr,
bis andres nicht mehr übrig war
als nur das Schuldscheinreservoir –
und Puppes Kopf. Sonst nichts man fand
am Boden zwischen Aschenbrand.

Die guten Katzen ganz entsetzt
beweinten ihre Asche jetzt
„Miau! Mio! Miau! Mio!
Geschieht ihr recht, wir warnten so."
Beklagten Gretchen tränenreich,
die Tränen bilden einen Teich.

Then hark! with what a dreadful crash
The gun blew up and burnt her sash;
Her arms, her hair, her clothing burns
While Dolly squeaks and roars by turns.

So she was burnt with all her clothes
And arms and hands and eyes and
  nose;
Till she had nothing more to lose
Except a heap of I.O.U.'s
And Dolly's head. Nought else was
  found
Among her ashes on the ground.

And when the good cats sat beside
The smoking ashes, still they cried
"Meow! Meo! Meow! Meo!
And serve her right, we told her so."
For Gretchen ran their tears so fast
They made a little pond at last.

4. DIE GESCHICHTE VON DEN NAZI-BUBEN

In dicker Winterkleidung schick,
so tritt hier auf der Bolschewik,
trägt Hammer, Sichel nicht versteckt
auf seinem Weg zum Newsky Prospekt.
Der Rüpel Adolf rennt herbei
und schwingt die Fahne mit Geschrei;
Und Ribby, der Vertragsexperte
trägt seinen Füller, statt 'ner Gerte;
der Goebbels liest für den Betrachter,
laut aus dem „Völk'schen Beobachter“;

sie schrien und johlten alle laut
und höhnten, daß es einen graut,
sie warfen Dreck ganz ohne Not –
„Der Bolschewik ist rot, rot, rot!“

4. THE STORY OF THE NAZI BOYS

All dressed in winter coat so thick,
The furry-hatted Bolshevik,
With hammer and with sickle fitted,
About the Nevsky Prospekt flitted.
Then Adolf, little noisy wag,
Run out and bawled and waved his flag;
And Ribby, see, for pacts in trim,
Had brought his fountain pen with him;
And Goebbels too, with whoops of laughter
Picked up the 'Völkisch' Beobachter';

So one and all set up a roar
And scoffed and hooted more and more,
And kept on singing, slinging mud –
"Oh Bolshy, you're as red as blood!"

Genosse Joseph lebte nah,
hoch wie der Himmel stand er da,
so riesenhaft sein Tintenfaß,
auch auf die Feder war Verlaß;
im Ärger rief er wütend aus:
„Jungs, laßt den Bolschewiken raus!
Versprecht mir, nie mehr ihn zu reizen
und mit Gefallen nicht zu geizen;
statt dessen sag' ich jedermann,
plagt doch die Burschen nebenan."

„Aha!" sprach Ribby, „unterschreibt,
mein Füller ist allzeit bereit;
ich handle so mit meinen Pakten
wie's Goebbels tut mit allen Fakten."
Genosse Joseph ergriff den Stift,
sie unterschrieben rasch die Schrift,
dann packt' er Adolf, packt' er Gob,
hält Ribby an dem bleichen Kopp,
und ob sie strampeln wie noch nie,
tief in die Tinte taucht er sie;
hinein ins Faß mit eins, zwei, drei,
bald sind sie rot, wie man nur sei,
die nächste Seite legt es frei.

Now Comrade Joseph lived close by
So tall, he almost touched the sky;
He had a mighty inkstand too,
In which a great goose feather grew;
He called out in an angry tone
"Boys, leave the Bolshevik alone!
Promise me no more to tease him,
But do everything to please him;
And I'll grant you on that score
Leave to plague the boy next door."

"Aha!" said Ribby, "Mark you then
I'm very glad I brought my pen;
I'm just as good at signing pacts
As Goebbels at distorting facts."
So Comrade Joseph took his pen
All wrote their names down too, and then
He seizes Adolf, seizes Gob
Grasps Ribby by his pallid nob
And they may scream and kick, and call,
Into the ink he dips them all;
Into the inkstand, one, two, three,
Till they are red, as red can be;
Turn over now and you shall see.

Da sind sie und da laufen sie!
Der Bolschewik hat Spaß wie nie.
Sie sind nun rot bis an die Zöpfe,
Genosse Joseph färbt die Tröpfe.
Jetzt gleichen sie dem Bolschewik –
war das die falsche Politik?

See there they are and there they run!
The Bolshevik enjoys the fun.
They have been made as red as rubies
Since Comrade Joseph dipped the boobies.
Now, branded like the Bolshevik,
They wonder if they've dropped a brick.

5. DIE GESCHICHTE VON DEM MANN, DER ZUR JAGD AUSZOG

Der Mann hier ging auf Ziegenjagd
mit Mütz' und Mantel unverzagt;
mit Flugzeug, Panzer und Gewehr
so jagt er hinter Späßen her.

„Dem Führer werde ich es zeigen,
auch mir sind Heldentaten eigen."

Die Ziege ruht bequem am Berg,
belächelt diesen Geisteszwerg –

„Los, Griechenziege, komm heraus,
die Flinte macht dir den Garaus,
ergib dich also ohne Schmu:
ich leg' mich untern Baum zur Ruh'."
Er schlief dann lange ohne Stop,
da kam die Ziege, hopp, hopp, hopp –
sie nahm ihm seine Waffen ab
und lief davon in raschem Trab.

5. THE STORY OF THE MAN THAT WENT SHOOTING

This is the man that hunts the goat,
This is his hat and shirt and coat;
With swag bag, plane and tank and gun,
He's going out to have some fun.

"He burns before the Führer's eye
To do some deed of chivalry."

The goat sits snug 'mid mountain crags
And laughs the while the great man
brags –

"Greek Goat! Come out
or you'll be shot,
For I a heavy gun have
got,
Hand over everything
to me:
Meanwhile I'll rest
'neath yonder tree."
And while he slept like
any top,
The little goat came hop,
hop, hop –
Took guns and tanks and
things and then
On his hind legs went
off again.

Der große Mann erwacht und sieht
ein furchtlos Opfer, das nicht flieht.
Die Ziege stößt gar mit Elan
dem Schwarzhemdmenschen ins Organ:
der heult und rennt wie er's vermag,
die Ziege folgt den ganzen Tag,
er schreit und will sich gern verkriechen:
„Hilf, Führer, hilf! Die Griechen! Griechen!"

The great man wakes and sees no trance
Of fear upon his victim's face.
The goat's now trying all he can
To butt the sleeping black shirt man:
He cries and screams and runs away,
The goat runs after him all day
And hears him call with frenzied shrieks: –
"Help! Führer! Help! The Greeks! The Greeks!"

6. DIE GESCHICHTE VOM KLEINEN GOBBY-GIFTFEDER

Einst sprach Mama: „Hör, Gobby mein,
ich gehe aus, du bleibst daheim.
Beherzige, was ich dir sag',
und lieber keine Lügen wag.
Sonst kommt der schwarze Mann mit Schere,
der kleinen Jungen dies verwehre.
Und schreibe nicht, was John verschweiget,
daß sich sein Schiff zum Grunde neiget,
oder Winstons Boot sei versenkt,
weil er an Franklins Ziege denkt.
Denn der schneidet ab die Daum',
schreiben können ist dann Traum."

Kaum die Mama den Rücken kehrt,
als Gobby auch schon aufbegehrt,
er kritzelt „Winston will es wagen,
des Führers Hirn herauszuschlagen."

6. THE STORY OF LITTLE GOBBY POISON PEN

One day, Mamma said: "Gobby dear,
I must go out and leave you here.
But mind now Gobby, what I say,
And don't tell fibs while I'm away.
The black man comes, in short, His Nibs
To little boys that utter fibs.
And write that Johnny's keeping dark
He's lost his brand new Noah's ark
Or Winston's sunk his pretty boat
To get his uncle Franklin's goat.
He cuts their thumbs clean off – and then,
They never more can hold a pen."

Mamma had scarcely turned her back
When Gob returned to the attack
And scribbled – "Winston's taking pains
To batter out the Führer's brains."

Die Tür bricht auf; herein tut fliegen
der schwarze Vater aller Lügen.
Oh! Kinder, seht! Da kommt er wieder
und zwingt die gift'ge Feder nieder.
Schnipp! Schnapp! Es geht die Schere so,
und Gobby jammert – „Oh! Oh! Oh!".
Und schnipp macht es! Und wieder schnapp!
Und Gobbys Daumen, die sind ab.

Kam Mama, der Goebbels stand
ganz traurig da, zeigt' seine Hand –
sprach die Mama, "das ist das Ende,
ganz ohne Daumen deine Hände,
wirst du keine gift'ge Feder halten,
aus ist's, mit dem schlimmen Walten!"

The door bursts open; in he flies
The long black Father of all lies.
Oh! Children, see! He comes again
To catch out little Poison Pen.
Snip! Snap! Snip! The Scissors go;
And Gobby cries out – "Oh! Oh! Oh!"
Snip! Snap! Snip! They go so fast
That Gobby's thumbs are off at last.

Mamma comes home, there Goebbels stands
And looks quite sad, and shows his hands –
"Ah!" said Mamma, "So, Gobby then
No more can hold his poison pen.
No more will echo roof and rafter
To 'Angriff' nor to 'Beobachter'."

7. DIE GESCHICHTE VON HERMANN, DER KEINE BUTTER WOLLTE

Der Hermann, der war kerngesund,
und Orden schmückten ihm sein Rund;
„Heil!" riefen alle, wenn er kam,
auf seiner Brust der ganze Kram.
Er aß und trank 'ne wahre Flut
und immer fand er Butter gut.
Schrie im September eines Tags:
„Nie wieder Butter, so ich sag's,
gebt mir Kanonen nun statt dessen,
auf Brot will Fett ich nie mehr essen!"

Seht, schon tags darauf das Bild verkündet,
wie schlank der Hermann sich jetzt findet!
Doch mager ist er und auch schwach,
daß enger er den Gürtel macht,
so schreit er – „Fett soll man vergessen,
gebt schön' Kanonen mir statt dessen,
auf Brot will Fett ich nie mehr essen!"

Am dritten Tag hing an dem Wrack
die Uniform nur wie ein Sack!
Ist das noch unser Lustgermane,
der harte Hermann, der Kumpane?
Mit schwacher Stimme ruft er – „Ach!
Ganz ohne Butter werd' ich schwach,
aufs Brot Kanonen, welch Ungemach!"

Der vierte Tag; sein Los ist hart,
dünn wie 'ne Lebensmittelkart';
Dann ist er weg, was ist der Grund?
Ein hungriger Germanenschlund?

7. THE STORY OF HERMANN WHO WOULDN'T HAVE BUTTER

Our Hermann was a chubby lad;
Now, lots of medals Hermann had;
And all cried "Heil!" when fully dressed,
He spread them on his ample chest.
He ate and drank up all he could
And always found the butter good.
But one day, one September day,
He screamed out "Take that grease away!
And give me glorious guns instead!
I won't have butter on my bread!"

Next day, now look, the picture shows
How lank and lean our Hermann grows!
Yet though he fells so weak and thin
And has his waistcoats taken in,
He cries out still – "'No grease,' I said,
'But gorgeous glorious guns instead!
I won't have butter on my bread!'"

The third day comes; This puny form
In baggy sagging uniform!
Can this be he, that jolly German,
That iron man, our portly Hermann?
He faintly calls – "I think I said,
'I won't have butter on my bread,'
But find that guns are hard to spread."

The fourth day comes; his lot is hard,
He's thinner than a ration card;
Look for him now; Some hungry German
Has surely gobbled up our Hermann!

8. DIE GESCHICHTE VON HERMANN, DEM FLIEGER

Als er warf die Bombenketten
über Ländern weit und Städten,
und die Kinder rannten schneller
in den nächsten Luftschutzkeller,
prahlte Hermann mit Behagen:
„Hierhin wird's kein Bomber wagen."
Es geschah
eh' er's versah
war'n sie da.
Hier sieht man den dummen Affen
spielen mit den Luftwehr-Waffen.

Welch ein Schlag! Er hört' die Jungen,
wie sie lärmend ihn bezwungen,
Bomben werfen und viel mehr,
ausgeh'n fällt ihm nun recht schwer.
Er fliegt breit,
himmelweit,
noch zu siegen in dem Streit.
Durch die Wolken sie ihn trieben,
keiner scheint ihn mehr zu lieben.

Trieben ihn in große Höhe,
damit keiner ihn mehr sehe,
Hermann fliegt, ihn kümmert's nicht,
wenn er abwirft, wen es trifft.
Mußte endlich so hoch steigen,
daß die Himmel von ihm schweigen,
Luftwaffe, müßt ihr versteh'n,
war danach nicht mehr zu seh'n.

8. THE STORY OF FLYING HERMANN

When his bombs came tumbling down
In the country and the town
And the children helter-skelter
Ran into the nearest Shelter
Hermann boasted "Never fear!
None will ever bomb us here."
But they did
And in a minute
He was in it.
Here you see the silly boy
With the Luftwaffe, his toy.

What a blow! He hears those boys
Making such a nasty noise
Dropping bombs and things about
Till he hardly dare go out.
When he flies
To the skies
And to drive them off he tries,
Through the clouds the rude boys shoved him
And he wept that no one loved him.

Soon they drove him such a height
He was nearly out of sight
And he didn't care a bit
(When he dropped things) what they hit.
Then they pushed him up so high
That they drove him from the sky
And the Luftwaffe, it's plain,
Never more was seen again.

9. DIE GESCHICHTE VOM ZAPPEL-ADOLF

Laßt seh'n, ob sich Adolf kann
geben wie ein Ehrenmann;
laßt seh'n, ob er nicht irgendwann,
still beim Mahle sitzet dann.
Onkel Sam spricht: „Bursch! Benimm!"
Tant' Britannia guckt' voll Grimm.
Ist wirklich zu schlecht,
was der sich erfrecht;
er schaukelt
und gaukelt,
und das muß ich sagen,
schwingt vorwärts und rückwärts
den Stuhl mit Behagen
gerade wie ein Schaukelpferd:
„Adolf, das ist kreuzverkehrt!"

9. THE STORY OF FIDGETY ADOLF

Let me see if Adolf can
Be a little gentleman;
Let me see if he is able
To sit still for once at table:
Uncle Sam said "Boy! Behave!"
Aunt Britannia looked grave.
It's really too bad,
The fidgety lad;
He wriggles
And jiggles,
And then I declare,
Swings backwards and forwards
And tilts up his chair
Just like any rocking horse;
"Adolf! We are getting cross!"

Schaut, das ungezog'ne Kind
schaukelt immer mehr geschwind,
und jetzt kippt er, meiner Seel'.
Adolf plärrt aus vollster Kehl',
packt das Tischtuch feste an,
alles wird noch schlimmer dann:
Unten auf dem Boden stapeln
Gläser, Teller, Messer, Gabeln.
Tante B. war starr vor Wut,
als sie sah, das ging nicht gut!
Onkel Sam schaut' grimmig aus,
„Adolf, du bist uns ein Graus!"

See the naughty restless child
Growing still more rude and wild,
Till his chair falls over quite.
Adolf screams with all his might
Catches at the cloth, but then
That makes matters worse again.
Down upon the ground they fall
Glasses, plates, knives, forks and all
Auntie B. did fret and frown
When she saw them tumbling down!
Uncle Sam made such a face!
Adolf is in sad disgrace.

Wo ist Adolf jetzt bloß hin?
Zugedeckt bis übers Kinn!
Unter'm Tischtuch ganz begraben,
über ihm die guten Gaben.
All die Früchte, Käse, Zwiebeln
sind vermischt mit Adolfs Stiebeln!
Leer ist nun der Tisch, und seh!
Onkel Sam und Tante B.
gucken bös' und wissen nicht:
Woher jetzt das Leibgericht?
Für Adolf ist es auch kein Spaß,
er muß zu Bett, ganz ohne was.

Where is Adolf, where is he?
Fairly covered up you see!
Cloth and all are lying on him;
He has pulled all down upon him.
All the onions, cheese and fruits
Muddled up with Adolf's boots!
Table all so bare, and see!
Uncle Sam and Auntie B.
Look quite cross, and wonder how
Auntie'll make her dinner now.
As for Adolf, there's no doubt
He must go to bed without.

10. DIE GESCHICHTE VOM KLEINEN MUSSO-GUCK-IN-DIE-LUFT

Ging er von der Schule heim
treues Hitler Schülerlein,
trabte Musso stolz und harsch
nur im röm'schen Gänsemarsch.
Doch war mal sein Weg nicht frei,
war ihm dies auch einerlei.
Keine Lire gab er drauf,
glaubte, niemand hält ihn auf.
Deshalb schrien sie wie Vernarrte
„Mussolini Bonaparte".

Einmal, welch' ein Sakrileg,
kreuzt ein Hündchen seinen Weg;
Mussos Stechschritt heischt Respekt,
Kinn gereckt,
und voll Effekt,
hört er nicht mal auf den Schrei:
„Musso, sieh, der Hund nahbei!"
Bumms!
Wumms!
Stürzt er hin, man hört es dumpf!
Hündchen beißt ihn in den Rumpf.

10. THE STORY OF LITTLE MUSSO HEAD IN AIR

As he strode along from school
Under Master Hitler's rule
Musso trod with pride and pleasure
A "Passo (Goose) Romano" measure,
But what just before him lay
In his way
Musso never cared a copper,
He would never come a cropper.
So they cried out loud and hearty
"Mussolini, Bonaparty."

Running just in Musso's way
Came a little dog one day;
Musso marches, short and stout,
Chin stuck out
And lips a-pout
And he never hears them cry
"Musso! Mind, the dog is nigh!"
Bump!
Dump!
Down he fell with such a thump!
Doggie bit him on the rump.

„Sieg!“ schreit er, „bring ich nach Haus!
Hol’ in Rom mir den Applaus,
Mare Nostrum werd’ ich queren!
Meine Flieger sich bewähren,
aus der Tiefe mit Gewalten,
meine Flotte wird sie spalten,
werd’ sie noch im Hafen halten.“

Weiter schreitet er Spagat,
Mare Nostrums Küste naht,
wo das Ufer hoch und steil,
und des Wassers tief’rer Teil,
und die Flotte in der Reih’
grüßt ihn laut mit Jubelschrei.

Ein Schritt weiter, trübes Spiel,
Musso gleich kopfüber fiel,
Flotte auch im Panikschreck
lichtet Anker und rauscht weg.

"Victory!" he cries, "I'll home!
Ride in triumph into Rome
Over Mare Nostrum plying!
Still I'm cleverest at flying.
From the deep
Still my fleet all else will sweep
If it safe in port but keep."
See him treading as before
Mare Nostrum's very shore
Where the bank was high and steep
And the water very deep
And his Navy in a row
Cheered to see him coming so.

One more step, and sad to tell
Headlong in poor Musso fell,
And his Navy in dismay
Got up steam and ran away.

Da lag Musso halb ertrunken,
und „Mein Kampf“ auch halb versunken;
doch zum Glücke geh’n da zwei
Männer hören sein Geschrei;
und die beiden starken Recken
angeln Musso aus dem Becken.

Mißlich war nun seine Lage,
und die Angst, die trat zutage.
Alle Habe war davon
wie die Kleider von King John,
und der kalte Wind von Ost
fuhr ihm in das Mark wie Frost.

„Ist das nicht Italiens See?“
stottert Musso. „Ach herrje!“
Seine Flotte, eins, zwei, drei,
sank darauf so schnell wie Blei,
und die Leute lachten frei:
„Heh! Spaghetti, Buch ist weg!
Widmungsexemplar im Dreck.“

There lay Musso nearly drowned,
With "Mein Kampf" so nicely bound;
But as they were passing by,
Two strong men had heard him cry;
And with sticks these two strong men
Hooked poor Musso out again.

He was in a sorry plight,
And had got a thorough fright.
All his goods were lost and gone
Like the clothes of good King John,
And the cold wind from the East,
Blowing through him, never ceased.

"Ain't it my Italian Lake?"
Spluttered Musso, "My mistake!"
As his Navy, one, two, three,
Lay a-sinking in the sea:
Down they went the moment after
And the people cried, with laughter: –
"Hi! You've lost your book, Top Woppy
It's your presentation copy."

11. DIE GESCHICHTE VOM FLIEGENDEN RUDOLF

Als im Land die Köpfe rollten,
wenn des Führers Augen grollten,
blieben alle Nazi-Buben
lieber spielend in den Stuben.
Rudolf dachte: „Sicher schreite
ich nur an des Führers Seite."
So geschah's und ganz leger,
war er DER,
ganz des Führers Freud und Stolz.
Wie du siehst aus gleichem Holz.

Doch er spürte im Genick
Himmlers kalten Schellfischblick,
Führer schrie: „Wag's nicht und steige
einfach in ein Flugzeug feige!"
Rudolf dachte: „Wenn ich eil',
ist es besser für mein Heil."
Steigt schnell ein,
Wetter fein,
achtet nicht auf Adolfs Schrein,
bald ist's klein wie eine Mott'
über'm Land von Burns und Scott.

Rudolf hier am Fallschirm hängt!!
Ob es wohl zum Ende drängt?
Sucht er nun den Trost für alles
in dem Land von Bruce und Wallace?
Als man ihn in Schottland faßt,
landet er sogleich im Knast.
Es ist immer noch nicht klar,
wozu diese Reise war,
nur das eine steht wohl fest,
nie mehr kehrt er heim ins Nest.

11. THE STORY OF FLYING RUDOLF

When the heads came tumbling down
At the Führer's angry frown
All good little Nazi boys
Stayed at home to mind their toys.
Rudolf thought "No place is surer
Than to strut beside the Führer."
So he did, and for a bit
He was IT,
All the Führer's joy and pride.
Here you see them side by side.

But there eyed him still askance
Himmler's cold and fishy glance
And the Führer screamed, "Don't dare
Take a plane into the air!"
Rudolf thought: – "To leave by stealth
Will be better for my health."
So he flies
To the skies,
Never heeding Adolf's cries,
Till appears a tiny dot
O'er the land of Burns and Scott.

It is Rudolf's parachute!!
Can a rift be in the lute?
Has he come to seek for solace
On the soil of Bruce and Wallace?
Down he bumps on Scottish ground
And they've put him in the pound.
Now, it isn't very clear
What he's wanting over here,
Only, this one thing is plain,
Rudolf won't go back again.

EPILOG
zur Geschichte von den Nazi-Buben

Nach zwanzig Monden spielten sie
noch zufrieden irgendwie
mit kleinen Bolschies ganz in Rot,
nach einundzwanzig droht die Not.
Adolf, Zweifel in der Brust,
kickt seine Freunde voller Frust,
klagt laut: „Ihr allein habt mich verführt!
Habe es schon lang' gespürt.
Ich rettete Europa hier,
und machte es zum Sklaven mir,
der zitterte vor dem Schafott,
ich bin der gute alte deutsche Gott."

Übersetzung von Dieter H. Stündel

EPILOGUE
to the Story of the Nazi Boys.

Now twenty months had passed away,
And still contentedly they play
With little Bolshies dressed in red,
But when the twenty-first has sped
Poor Adolf's conscience pricks: he rants
And kicks his playmates in the pants,
And weeps: – "You made me love you, beast!
I didn't want to in the least,
But Europe thus I had to save
To do its duty as my slave,
And tremble at my august nod
For I'm the good old German God."

GESCHICHTE UND GESCHICHTEN

Der *Struwwelhitler. A Nazi Story Book by Dr. Schrecklichkeit* erzählt in drastischen Bildern die Situation des Kriegsjahres 1941: Nazi-Deutschland beherrschte nahezu ganz Europa, deutsche Truppen standen Ende 1941 vor Moskau.
Hitlers Vertragsbrüchigkeit, seine Brutalität, auch gegenüber früheren SA-Kampfgenossen, die Unterwerfung Frankreichs („Marianne") werden im Bild des „bösen Friederich", wie er im Original-Struwwelpeter heißt, dargestellt. Auf Uncle Sam ruhten alle Hoffnungen, er sollte ihn „verarzten". Der Hund Fritz – stellvertretend für das hungernde deutsche Volk – sollte möglichst rebellieren und Adolf ins Bein beißen!
Selbst Gretchen, frei nach Goethes *Faust*, ist eine kriegsversessene BDM-Maid, die mit Kanonen spielt und deren schreckliches Ende die britischen und amerikanischen Katzen beweinen.
„Ribby", der alle Verträge unterzeichnende Reichsaußenminister von Ribbentrop, war schon zuvor aufgetreten. Er wird zusammen mit seinen weniger eleganten Naziführern von Stalin ins rote Tintenfaß getunkt – Ausdruck der Sorge, daß sich der sowjetische Kommunismus nach einem Sieg ausbreiten könnte.
Der „Duce", Hitlers italienischer Verbündeter, wird von einem griechischen Widerstands-Bock seines Jagdgewehrs beraubt, während Mussolini sich unter der Hakenkreuz-Sonne ausruht. „Gobby", Propagandaminister Goebbels, verliert seine demagogischen Schreibkünste auf die drastische Hoffmann-Weise: Die daumenlosen Hände können den Giftfüller nicht mehr halten!
Hermann Göring, der fette „Reichsfeldmarschall", wird an der Nahrungsmittelnot zugrunde gehen. In der folgenden Geschichte kann er mit seiner Luftwaffe Großbritannien nicht besiegen und Deutschland auch nicht vor dem Bombenkrieg der Alliierten schützen.
Tante Britannia und Onkel Sam können mit ihren Ermahnungen nicht verhindern, daß Zappel-Adolf alles mit sich hinabreißt.
Der Musso(lini)-Guck-in-die-Luft stürzt ins Verderben, erst stolpert er über die britische Bulldogge, dann fällt er ins Wasser, wird von

seinen faschistischen Freunden gerettet, verliert aber die italienische Flotte.
Die elfte der Warngeschichten erzählt die damals hochaktuelle und sensationelle Geschichte von Hitlers Stellvertreter Rudolf Heß, der allein mit einem Flugzeug nach Schottland flog, um Friedensverhandlungen zu führen. Heß nahm sich 1984 im Vier-Mächte-Gefängnis Spandau das Leben.

DAS STRUWWELPETER-MUSEUM

Als Rory Spence 2001 das Struwwelpeter-Museum in Frankfurt am Main besuchte, fand er inmitten der großen Sammlung zu seiner Überraschung und Freude den *Struwwelhitler*, ein Werk seines Großvaters und Onkels aus dem Zweiten Weltkrieg, im Original und Nachdruck. Erst dadurch konnte der Kontakt zu der Familie der Urheber hergestellt werden, denn über die Autoren war bis dahin nichts bekannt.
Das Struwwelpeter-Museum basiert auf dem Nachlaß des Frankfurter Arztes Dr. Heinrich Hoffmann (1809–1894); seine Urenkel haben den Nachlaß als Leihgabe zur Verfügung gestellt. Die Sammlung zeigt neben Büchern, Original-Zeichnungen und -Autographen eine Dokumentation über Hoffmanns Engagement als Bürger, Demokrat von 1848, als volkstümlicher Arzt und Reformer der Psychiatrie.
Der Initiator und Gründer des Museums, G.H. Herzog, hat die Sammlung von 1977 an konzipiert und gestaltet und bis zu seinem Lebensende 2004 mit seiner Frau Marion Herzog-Hoinkis ehrenamtlich betreut.
Die Erben der beiden Urheber dieser politischen Satire, Mrs. Griselda Spence und Mrs. Sarah E. Lomas, haben gerne die Lizenz für den Nachdruck erteilt und liebenswürdigerweise die Lizenzeinnahmen gespendet.